Helena Raquel

O Legado de Sara

Helena Raquel

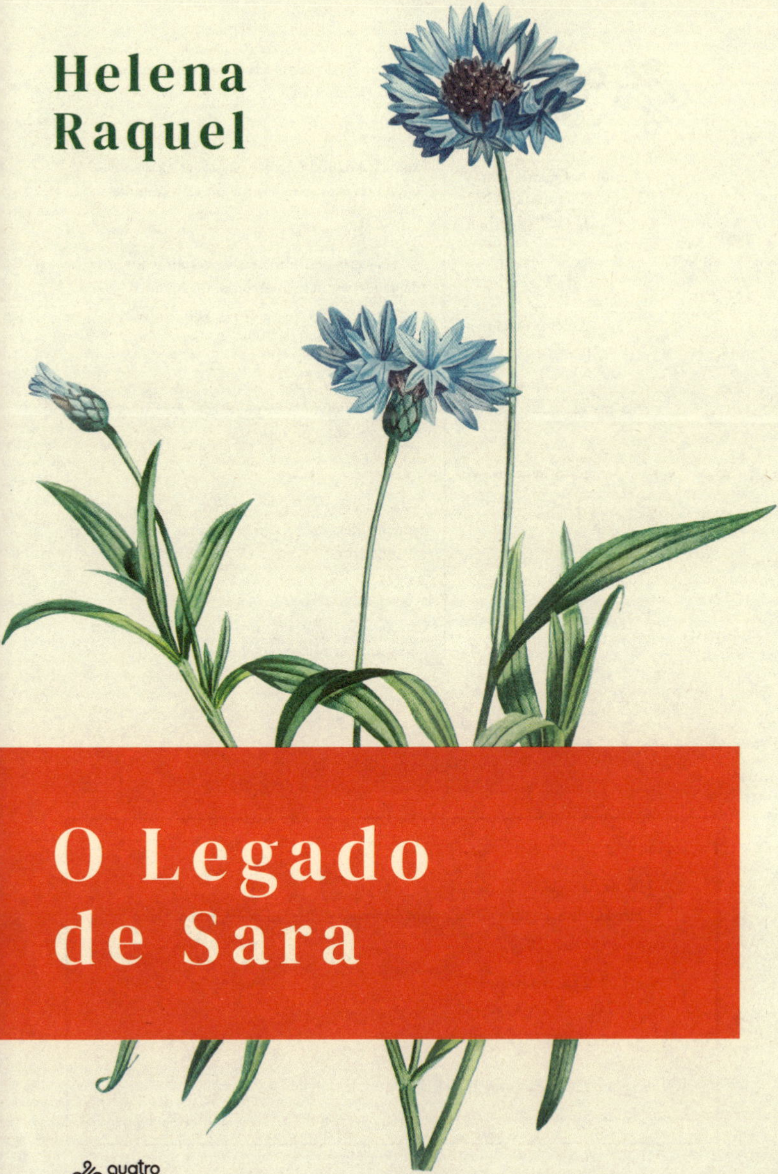

O Legado de Sara

Editora Quatro Ventos
Avenida Pirajussara, 5171
(11) 99232-4832

Diretor executivo:
Raphael T. L. Koga
Editora-chefe:
Giovana Mattoso de Araújo

Editor responsável:
Lucas Benedito

Editora: Eduarda Seixas

Diagramação: Suzy Mendes
Capa: Vinícius Lira

Todos os direitos deste livro são reservados pela Editora Quatro Ventos.

Proibida a reprodução por quaisquer meios, salvo em breves citações, com indicação da fonte.

Todas as citações bíblicas e de terceiros foram adaptadas segundo o Acordo Ortográfico da Língua Portuguesa, assinado em 1990, em vigor desde janeiro de 2009.

Todo o conteúdo aqui publicado é de inteira responsabilidade da autora.

Todas as citações bíblicas foram extraídas da Almeida Revista e Corrigida, salvo indicação em contrário.

Citações extraídas do site *https://bibliaonline.com.br/arc*. Acesso em janeiro de 2024.

1ª Edição: fevereiro de 2024

Catalogação na publicação
Elaborada por Bibliotecária Janaina Ramos – CRB-8/9166

H474L

Helena Raquel

O legado de Sara: uma jornada além do tempo / Helena Raquel. – São Paulo: Quatro Ventos, 2024.

(Pra. Helena Raquel, V. 1)
96 p.; 12,4 X 17,5 cm
ISBN 978-85-54167-57-8

1. Vida cristã. 2. Cristianismo. I. Helena Raquel. II. Título.

CDD 248.4

Sumário

Palavra inicial para os colecionáveis	7
Palavra de abertura	9
1. Filhas	15
2. Mãe de uma nação	37
3. A identidade da beleza	55
4. Não é tarde demais	71
Referências bibliográficas	91

Palavra inicial para os colecionáveis

Durante toda a minha vida, tenho tido a alegria de ler mulheres como Joyce Meyer, Lisa Bevere e Elizabeth George. Lendo-as, fui edificada e consolada; também me emocionei, sorri e chorei, exatamente como os bons livros fazem conosco.

Autoras cristãs norte-americanas, europeias e de todos os continentes têm muito a nos dizer. Entretanto, entendo que autoras crentes que pisam no mesmo solo que nós conseguirão falar de forma mais eficaz sobre nossos desafios enquanto mulheres cristãs na igreja brasileira. Temos uma realidade única em nosso país, e a cada nação cabe a sua própria singularidade.

Alegro-me profundamente com a oportunidade de, com os pés em terras brasileiras, falar a vocês por meio destes livros; poder escrever palavras que vão de encontro aos seus corações e que reverberarão em cada ministério. Sei que, assim como eu, vocês conhecem a temperatura, o sabor e a beleza de servir ao Reino aqui.

Oro a Deus, Aquele por quem vivo, para que estas obras sejam um bom instrumento para o seu aperfeiçoamento n'Ele.

Com amor e de mãos dadas com todas vocês,

Helena Raquel.

Palavra de abertura

Nos últimos anos, precisei pensar melhor sobre legado; afinal, havia chegado a hora de eu receber o meu. Sou neta de uma "Sara", chamada Maria Helena de Souza e Silva Gonçalves. Uma mulher que impactou seu pequeno mundo, tocou pessoas, amou intensamente e foi muito amada.

Minha avó não foi avó apenas dos seus netos, mas também de dezenas de pessoas que a chamavam, carinhosamente, de "Vó Helena". Bastou que ela aparecesse em alguns vídeos e *lives* para que isso acontecesse. Em todos os lugares que eu chegava, alguém falava dela.

Jesus a chamou para a eternidade no dia 15 de outubro de 2020, aos seus 83 anos. A partida da minha avó foi muito dolorosa para mim. Não ter a sua presença amorosa, as suas ligações e áudios, os seus conselhos ternos; não poder observar sua constante vida de oração e intercessão... tudo isso gerou uma lacuna imensa no meu coração. Por quase um mês, adentrei as madrugadas pensando no porquê de sua partida — como se fosse necessária uma resposta para o óbvio. Por que vovó partiu? Bem, seu tempo de vida terrena findou pois ela cumpriu, de forma maravilhosa, o seu ministério; então, foi conduzida ao lugar de descanso das obras.

> O luto, por vezes, ofusca verdades que repetimos uma vida inteira, e põe à prova a esperança que sempre afirmamos ter.

O luto, por vezes, ofusca verdades que repetimos uma vida inteira, e põe à prova a esperança que sempre afirmamos ter. Quando esse período inicial passou, vivi algo que considero um luto saudável. Chorei, revisitei memórias, li seus escritos, vi fotos e falei sobre ela. Acreditei que esse seria o final da nossa história. Quando os sentimentos se estabilizaram e a dor da perda foi substituída pela saudade, meu coração inclinou-se para um tema específico: **legado**.

De acordo com o Michaelis, legado significa "aquilo que se passa de uma geração a outra, que se transmite à posteridade". **Eu sou herdeira de um legado**. Minha avó me deixou algo. Não posso envergonhar ou desonrar essa árvore frondosa da qual sou um ramo. Seis meses depois da partida de minha querida vó Helena, o meigo Espírito Santo me conduziu à passagem bíblica que serve como base a esse livro, 1 Pedro 3.1-6. Deus parecia me sacudir, dizendo: "Pregue!".

Em 14 de maio de 2021, data natalícia da minha avó, eu estava em um centro de convenções, preparando-me para pregar a centenas de mulheres, quando uma filha amada do Senhor me procurou e disse: "Tenho algo para dar à senhora". Perla me abraçou e me entregou um presente. Ao abrir, as lágrimas rolaram em meu rosto. Era um caderno de oração. Eu nunca havia tido um, mas, quando o vi em minhas mãos, imediatamente entendi o propósito. Minha avó teve dezenas de cadernos de oração. Deus estava me dizendo: "Agora é a sua vez! Esse é o seu tempo! Levante-se e abrace o seu legado".

Quando assumi o púlpito, preguei com fervor e veemência sobre Sara e o legado que recebemos dela. Naquela tarde de outono, eu pregava para aquelas mulheres, mas também pregava para mim!

Deus parecia me sacudir, dizendo: "Pregue!".

Capítulo 1
Filhas

C ada uma de nós tem uma história. Ainda que não seja uma realidade para todas as pessoas, praticamente qualquer um que conhecemos nasceu em um lar. Algumas têm boas memórias com a família; outras, nem tanto. Mas fato é: em nossas vidas, sempre existirá algum tipo de figura paterna ou materna — mesmo para aquelas que foram abandonadas, perderam os pais muito cedo ou foram criadas por avós ou tias —, e isso nos faz **filhas**, simples e maravilhosamente filhas.

Ainda que a ideia de filiação esteja um pouco deturpada nos dias de hoje, não podemos ignorar nossas histórias e deixar que as ausências nos definam. De forma contrária, devemos nos esforçar para retirar bons aprendizados das piores situações e contextos. Como cristãs, acredito que o melhor exercício que podemos fazer é valorizar as boas memórias; algumas se lembrarão de um abraço apertado, outras de um perfume marcante ou, ainda, das roupas que o pai e a mãe usavam. Nos últimos anos, eu fiz as pazes com a minha infância. Busquei trazer à memória os meus melhores momentos enquanto menina, e perdoei tudo o que não pude ser ou fazer, especialmente por ainda ser uma criança.

FILHAS ETERNAS

Deus ainda não me deu filhos, então, não sei exatamente como é influenciar alguém por meio dessas características, mas posso afirmar, com certeza, que aprendi a ser filha. O relacionamento dentro da minha casa, com todos que moravam comigo, sempre foi maravilhoso, leve e cheio de momentos preciosos; com a minha mãe, especificamente, o melhor possível. Se hoje sei ser filha é porque ela sabia ser mãe. Foi ela quem me ensinou. Não éramos colegas nem rivais, apenas mãe e filha — o que, para mim, seremos eternamente. A palavra "filha" significa tantas coisas... ela é o suficiente para definir tudo!

Essa doce relação familiar me imbuiu de autoridade sobre esse tema. Posso falar tranquilamente a respeito disso. Quando olho para Deus, consigo enxergá-lO plenamente como meu Pai, porque além de uma mãe maravilhosa, também tenho um grande pai, zeloso e amoroso. Eles sempre demonstraram muito amor e cuidado a mim. Contudo, sei que é um privilégio; muitas pessoas sofrem para aceitar a paternidade de Deus pois sentem receio — por vezes, dor — e projetam suas relações abusivas n'Ele.

Apesar dessas inseguranças, basta olharmos para Ele para entendermos a filiação. No momento em que aceitamos a Jesus como nosso único e suficiente salvador, somos aceitas na família de Deus e passamos a ter acesso total à Sua mesa. Foi justamente sentada à mesa que vivi os melhores diálogos com a minha família; em nossa casa, sendo crianças ou adolescentes, sempre fomos ouvidos. Nossos pais falavam conosco sobre quase tudo e nos ouviam atentamente, também. Acredito que foi a partir desses momentos que Deus começou a moldar os pregadores que eu e meu irmão, Eduardo Gonçalves, nos tornamos. A coragem para a fala pública foi vitaminada no ambiente familiar. Isso pode se repetir com cada uma de nós, ainda hoje. O Pai Eterno nos conduz à Sua mesa e nos permite falar sobre tudo que consideramos importante, mas também nos ensina a ouvi-lO falar de tudo aquilo que é importante para Ele.

O problema está quando ignoramos esse fato... não podemos encarar a oportunidade que Cristo nos deu sob a ótica do nosso passado conturbado. Por isso, existe uma verdade imutável que sempre deve ser repetida: somos filhas de Deus. Sim, eu e você! **Você é uma filha eterna!** Nada nem ninguém pode roubar esse título, pois não há força capaz de nos separar do amor de Deus (cf. Romanos 8.38-39). É certo que algumas mentiras podem cegar a nossa percepção e nos impedir de aceitar que não somos mais órfãs; mas, à medida que nos aprofundamos na revelação do amor do Pai por nós, todo o engano fica para trás. O Senhor não deseja que sejamos escravos daquilo que passou, e sim que avancemos e amadureçamos dia após dia, de glória em glória.

Capítulo 1 | Filhas

Diferentemente de muitos pais, que acabam protegendo demais os seus filhos e, assim, os impedindo de crescer, Deus conhece o potencial que depositou em nosso interior. Ele espera que possamos nos desenvolver ao máximo! Infelizmente, mesmo em lares saudáveis, onde existe afeto e vulnerabilidade, não há nenhuma garantia de que algo assim aconteça. Por isso, desfrutar da paternidade é a melhor maneira de não somente entendermos qual é o papel de uma filha, como também sabermos o jeito correto de honrarmos ao nosso Pai e a hora certa para darmos os nossos próprios passos.

Considerando tudo isso, acredito que seja impossível olhar para as Escrituras Sagradas e não destacar um dos exemplos mais emblemáticos de maternidade de toda a Bíblia: Sara, a esposa de Abraão. Seja qual for a sua posição diante de todas as afirmações que fiz até aqui, tenho certeza de que aprendendo um pouco mais sobre as características dessa grande mulher de Deus, algumas escamas cairão dos seus olhos e a sua percepção sobre a importância de um legado duradouro por meio da geração espiritual será ampliada.

Acredito, também, que entenderá o seu lugar como filha que caminha em Deus, e, assim como Sara, estará pronta para viver grandes experiências e crescer no temor do Senhor.

UM CONSELHO ÀS MULHERES

Ao invés de iniciarmos nossa conversa sobre Sara partindo de Gênesis, o texto mais comum, gostaria de observar o que o apóstolo Pedro, o primeiro líder da Igreja Primitiva, pensava sobre a esposa de Abraão:

> *Semelhantemente, vós, mulheres, sede sujeitas ao vosso próprio marido, para que também, se algum não obedece à palavra, pelo procedimento de sua mulher seja ganho sem palavra, considerando a vossa vida casta, em temor. O enfeite delas não seja o exterior, no frisado dos cabelos, no uso de joias de ouro, na compostura de vestes, mas o homem encoberto no coração, no incorruptível trajo de um espírito manso e quieto, que é precioso diante de Deus. Porque assim se adornavam também antigamente as santas mulheres que esperavam em Deus e estavam sujeitas ao seu próprio marido, como **Sara** obedecia a Abraão, chamando-lhe*

senhor, da qual vós sois filhas, fazendo o bem e não temendo nenhum espanto. (1 Pedro 3.1-6 – grifo nosso)

A passagem de 1 Pedro 3, quase sempre, é lida em reuniões e cultos especiais para as servas do Senhor, ou para aconselhar esposas com um direcionamento específico, voltado à nossa postura ideal diante de Deus. Ainda que o foco aqui seja, de fato, a exortação das mulheres a uma vida santa e equilibrada, se expandirmos nosso alcance, encontraremos conselhos válidos.

O que não pode ser perdido de maneira nenhuma nas palavras de Pedro é a ênfase ousada de seus conselhos. O apóstolo era um homem e falava de um ponto de vista diferente das pessoas a quem se destinava a mensagem. Acredito, de todo coração, que a coragem dele era fruto de seu tempo aos pés de Jesus, em que o antigo pescador aprendeu uma forma diferente de tratar a figura feminina. **Ninguém** amou e valorizou as mulheres mais do que Jesus.

Se tivermos como ponto de partida o Antigo Testamento, ficará claro como era raro dirigir palavras diretamente às mulheres. Apesar de diversos exemplos marcantes, como Sara, Raabe, Rute e Noemi, a rainha Ester e tantas outras, em comparação a outros textos, em que os personagens principais eram homens, perceberemos uma diferença considerável. Isso não significa, de modo nenhum, que o Senhor fazia acepção de pessoas ou enxergava as mulheres com menos valor; o contexto, a cultura e o comportamento de todos os personagens bíblicos estavam submetidos à organização social de seu tempo.

Quando observamos a atitude de Jesus ao longo de Seu ministério terreno, notamos uma abertura com aquelas que cruzaram o Seu caminho. Ele as tratava com o respeito e o zelo que o Pai tinha por cada uma delas. São várias as histórias que poderíamos citar, como a da mulher samaritana do poço (cf. João 4.1-30), a da mulher que seria apedrejada (cf. João 8.1-11), a da mulher do fluxo de sangue (cf. Mateus 9.18- 26) ou da amizade de Cristo com as irmãs Marta e Maria (cf. Lucas 10.38-42). Não tenho dúvidas de que testemunhar, diariamente, tamanho afeto e compaixão mudou a forma como Pedro lidava com qualquer indivíduo, e deu autoridade ao apóstolo para ensinar com o mesmo apreço que o Mestre. Ninguém permanece o mesmo depois de ter um encontro verdadeiro com Jesus e caminhar ao lado d'Ele.

Em sua primeira epístola, Pedro fala às mulheres com sabedoria, entendimento, clareza e transparência. Ele aborda temas extremamente desafiadores em nossos dias, como a submissão feminina, sua aparência e a beleza exterior. Tudo isso sem ferir nenhum princípio dado por Cristo e deixando evidente a sua intenção de instruir em amor. Em suas palavras, vejo um líder respeitável e um pai espiritual cujo único objetivo era tornar suas ovelhas mais parecidas com Jesus.

Verdades devem ser ditas, sim! Mas a forma como são proferidas implica no acolhimento de quem ouve. Quando desenvolvemos uma linguagem bíblica e apostólica, nós nos tornamos mais eficientes na anunciação da Palavra de Deus.

O VERDADEIRO TESOURO

Dentre todos os conselhos, Pedro utiliza o exemplo de Sara para falar, inicialmente, sobre os segredos do coração. Observe com um pouco mais de atenção o versículo 3 da passagem de 1 Pedro 3:

> *O enfeite delas não seja o exterior, no frisado dos cabelos, no uso de joias de ouro, na compostura de vestes.*

Como cristãs, não devemos sustentar nossa beleza no que existe em nosso exterior, no uso de mil acessórios ou roupas caras. O Mundo se apoia nisso e tenta promover, sorrateiramente, o mesmo comportamento em nós, levando algumas mulheres ao exagero estético e ao consumismo inútil.

Ame-se e se cuide. Nós, servas do Senhor, devemos zelar por nossa aparência, sim, mas buscando corresponder à grandeza do que nos foi confiado. O apóstolo Pedro não apenas diz onde não podemos apoiar nossa beleza, como também sugere uma possiblidade de adorno maravilhoso, singular e incomum: "[...] o homem encoberto no coração" (1 Pedro 3.4).

Capítulo 1 | Filhas

Como é possível encobrir, ocultar ou esconder o homem no coração, fazendo do amado um tesouro bem guardado? Alguns alcançaram esse favor de Deus, encontrando uma esposa capaz de guardá-los em amor e zelo. Mulheres assim são presentes valiosos e inestimáveis.

Aquelas que se propõem a guardar o esposo no coração são capazes, também, de abrigar todas as pessoas que Deus lhe trouxer para guardar e zelar. Estou certa de que uma serva cristã que não manifesta esse cuidado em relação ao próprio marido, não terá legitimidade para fazer isso com outro alguém. A Bíblia não esconde essa realidade, de forma contrária, afirma:

> *Mas, se alguém não tem cuidado dos seus e principalmente dos da sua família, negou a fé e é pior do que o infiel.* (1 Timóteo 5.8)

Talvez você esteja interessada em saber como é possível esconder seu marido no coração, então, observe como Pedro continua o versículo 4, em 1 Pedro 3: "[...] no incorruptível trajo de um espírito manso e quieto, que é precioso diante de Deus".

Não é possível fazer esse tipo de acolhimento humano sem buscar e desenvolver um espírito manso e quieto. Mulheres inquietas e irritadiças são propensas a expor pessoas, tropeçar em comentários errados e, depois, sentir o cansaço e a culpa das suas atitudes. Por isso, precisamos desenvolver esse lugar de profunda paz e direcionamento espiritual, ainda que para isso seja necessário jejuar e desfrutar de tempos de solitude.

No Sermão do Monte, Jesus diz que o coração esconde nossos maiores tesouros (cf. Mateus 6.21). Já em Provérbios, encontramos um complemento dessa ideia quando o sábio afirma que "o que acha uma mulher acha uma coisa boa e alcançou a benevolência do Senhor" (Provérbios 18.22); em outras palavras, encontra um **tesouro**.

Dessa forma, fica claro que, dentre as várias bênçãos que alguém pode alcançar enquanto ainda está na Terra, a dádiva de encontrar um parceiro, com quem pode dividir a vida e tornar-se um, é uma das mais preciosas. E, tratando-se do papel da mulher nessa equação, além de ser uma auxiliadora ao lado de seu marido, a esposa tem a responsabilidade de conhecer e guardar os segredos do coração de seu companheiro.

É por isso que uma mulher sábia e prudente não expõe o cônjuge, sejam os seus defeitos ou suas áreas frágeis, além de proteger a intimidade e cumplicidade do casal. Uma vida que prega contra esse princípio fundamental, por meio da exposição generalizada, fere uma aliança que deveria ser guardada a sete chaves. Quando entendemos a importância disso, deixando de pesar o impacto de nossos discursos, vestimentas ou comportamentos em nossos relacionamentos, desonramos não apenas ao Senhor, mas também a todos que vieram antes de nós.

Por muitas vezes, ouvi pregadores questionando onde estava Adão quando a serpente foi atrás de Eva, mas também estou certa de que é justo nos perguntarmos onde estava a esposa de Noé quando ele se embriagou e expôs a sua nudez. Você deve ser cúmplice do seu cônjuge, mas não do pecado dele. Entenda que são coisas diferentes.[1]

---

[1] **Atenção!** Violência doméstica é crime e deve ser denunciado às autoridades. Não seja cúmplice no plano da sua própria morte. Busque ajuda! Denuncie! Ligue para 180.

Ao citar o exemplo da esposa de Abraão, Pedro foi extremamente assertivo. Sara não expôs, em momento algum, as fragilidades de seu marido. Ela nem sequer revelou descontentamento pelo que ele não poderia lhe proporcionar. Abraão esteve guardado em Deus durante toda a sua peregrinação, mas também esteve escondido no coração de sua mulher, em amor. A esposa do patriarca aprendeu, ainda que a duras custas, o valor da submissão, da confiança e de depositar suas esperanças apenas em Deus. O Senhor espera por filhas como ela, que abandonam a ira, as intransigências, as fofocas e as discussões sem razão para, em vez disso, entregarem-se completamente aos desejos do Pai.

> Você deve ser cúmplice do seu cônjuge, mas não do pecado dele.

Se não estivermos dispostas a um nível de serviço tão radical, ainda que estejamos trajadas com as mais belas roupas, calçados ou joias, nunca seremos capazes de irradiar um espírito manso, obediente e valioso para o Reino de Deus.

FILHAS DE SARA

Sara encanta, mas também nos constrange. Como poderíamos ser esposas, mulheres e líderes assim? A Bíblia responde! Vamos prestar uma atenção especial, agora, nesse trecho dos conselhos apostólicos:

> *Como Sara obedecia a Abraão, chamando-lhe senhor,* ***da qual vós sois filhas****, fazendo o bem e não temendo nenhum espanto* (1 Pedro 3.6 – grifo nosso)

Pedro fala às mulheres da Igreja do primeiro século usando a vida de Sara enquanto esposa para exemplificar a conduta feminina adequada e piedosa. Algumas delas, assim como algumas de nós, poderiam responder ao apóstolo com certa decepção: "Como ser como ela?", ou, ainda, "Eu não tenho vocação para isso". Mas, inspirado pelo Espírito Santo, ele desbanca essa possibilidade.

Sara não é uma princesa de contos de fada, uma imagem perfeita e cheia de filtros, não é uma celebridade inacessível ou uma influenciadora digital daquelas que fazem tudo perfeitamente. Ela é de verdade, é real e falha, mas, ainda assim, venceu. Como humanas, somos filhas de Eva, porém como mulheres espirituais, somos filhas de Sara.

Talvez isso lhe soe estranho. Como assim ter como mãe alguém que viveu tantos anos antes de você? No entanto, busque compreender como esse termo de forma mais ampla e significativa. A palavra "filha" é um substantivo feminino. De acordo com o dicionário Michaelis, é a "**descendente** do sexo feminino [...]". Isso significa dizer, então, que somos da descendência de Sara, pela fé.

Ser filha é ser herdeira, sucessora e progênita. É sobre esses lugares que estamos tratando. Nós nos levantamos em nome de Jesus como progênitas, mas também como herdeiras e sucessoras de Sara. Podemos andar na mesma fé e coragem, porque o Deus de Sara também é o nosso Deus.

Sara foi a matriarca principal do povo de Israel; sua liderança apareceu de forma espontânea, fruto de sua obediência e profunda entrega para andar pelos caminhos de Deus. Todas as mulheres, principalmente as que ocupam um lugar de liderança, precisam conhecer um pouco mais sobre a vida de Sara. Quando olhamos bem para quem pioneirou, ganhamos tempo e corrigimos rotas, e, assim, aceleramos os passos para vivermos o destino que Deus já preparou para nós.

Nós nos levantamos
em nome de Jesus
como progênitas, mas
também como herdeiras
e sucessoras de Sara.
Podemos andar na mesma
fé e coragem, porque o
Deus de Sara também é o
nosso Deus.

Capítulo 2
Mãe de uma nação

Em grandes enredos, seja no cinema, no teatro, na literatura ou mesmo nos textos bíblicos, existe um personagem principal. Quase sempre, é ele quem dita o rumo da narrativa, protagonizando os principais eventos, sofrendo dificuldades, fazendo amigos, passando por aventuras e enfrentando as consequências das suas atitudes. Geralmente, o protagonista é a primeira pessoa que nos vem à mente quando lembramos de alguma história.

Ao pensarmos em Sara, por exemplo, automaticamente a associamos ao seu esposo, Abraão. Sem dúvidas, o patriarca possui um papel crucial na história dos hebreus; ele foi o primeiro a sair da terra de seus pais em direção a um lugar distante, movido apenas pela promessa do Senhor. Sua atitude de fé nos inspira até hoje e, como fruto dessa fidelidade, podemos afirmar que somos herdeiras dele, também.

Contudo, nem sempre dedicamos tempo suficiente para analisar e valorizar a figura de Sara. Lemos, vez ou outra, sobre algum episódio de sua vida. Apesar dessa pouca importância que, por vezes, lhe atribuímos, eu arrisco dizer que o homem que conhecemos nem mesmo existiria se alguém como ela não estivesse ao seu lado em todo o tempo.

> Eu arrisco dizer que o homem que conhecemos nem mesmo existiria se alguém como ela não estivesse ao seu lado em todo o tempo.

Sob a ótica divina, Sara ocupa o lugar perfeito: o de auxiliadora. Toda a construção da religião, família e patrimônio de Abraão tem essa expressiva e confiante figura ao lado. Não podemos olhar para a história sem considerar a importância de Sara. Não existe um Abraão solitário ou promíscuo, a história é dos dois, Sara e Abraão, unidos em uma só carne.

É exatamente assim que nós, filhas de Sara, devemos nos posicionar enquanto mulheres, esposas e líderes cristãs. Não estamos em busca de protagonismo familiar ou religioso. Assim como Sara, devemos assumir o papel que nos foi confiado: o de auxiliar.

Isso não é nenhuma desonra ou demérito. Contrariamente, mulheres auxiliadoras amparam, socorrem, apoiam, assistem, assessoram, acodem, contribuem, facilitam, sustentam, propiciam, trabalham e contemplam. Louve a Deus por essa realidade e se alegre por sua condição maravilhosa.

UM PLANO COLETIVO

Ninguém chega a lugar algum sozinho. As pessoas são completas apenas quando vistas a partir de suas relações, sejam elas familiares, conjugais ou de amizade. Você só é quem é hoje graças a cada indivíduo que passou pelo seu caminho — tendo sido essa participação positiva ou negativa.

Em outras palavras, o ser humano faz parte de um conjunto. Aplaudir um homem sem considerar a mulher que Deus colocou ao seu lado é um erro grave. Ao dizer isso, não ignoro os relacionamentos confusos, mas oro e acredito que o Senhor tem poder para agir nessas situações. Ignorar a influência daqueles com quem escolhemos trilhar nossa história é lutar contra um fato indiscutível. Nós não somos seres individuais, e sim pessoas ligadas ao Plano.

Muitas vezes, questionamos o porquê algumas pessoas fazem certas escolhas, desconsiderando suas origens e as vozes que têm peso em sua vida. É claro que o Senhor pode nos libertar de toda manipulação e vínculos antigos, porém, se a nossa decisão for dar ouvidos ao que os outros dizem, ignorando a ação do Espírito Santo, não há muito o que possa ser feito. Por outro lado, quando somos acompanhadas por boas influências, obedecer ao Senhor se transforma em algo leve e suportável.

> Palavras precisam ser validadas por atitudes, caso contrário, são ditas em vão.

Todo relacionamento nos afeta de alguma maneira; nenhum é indiferente. Quando se trata da relação conjugal, precisamos enxergar com zelo e responsabilidade. Se você ainda não se casou, converse francamente como seu pretendente sobre a sua vocação e serviço cristão. Ouça o que ele lhe disser, mas não apenas ouça, veja, também. Palavras precisam ser validadas por atitudes, caso contrário, são ditas em vão.

Capítulo 2 | Mãe de uma nação

MÃE ESPIRITUAL

É por isso que Sara não pode ser esquecida! O apóstolo Pedro foi apenas uma das pessoas que percebeu a relevância dessa mulher para que o plano de Deus fosse bem-sucedido. O profeta Isaías, um dos homens que mais profetizou a respeito da vinda do Messias, também falou sobre ela ao declarar a futura glória e restauração de Israel:

> *Olhai para Abraão, vosso pai, e para **Sara, que vos deu à luz**; porque, sendo ele só, eu o chamei, e o abençoei, e o multipliquei.* (Isaías 51.2 – grifo nosso)

De todas as características que Isaías poderia ressaltar sobre Sara, ele decidiu pontuar uma das coisas pelas quais ela mais é lembrada: sua maternidade. Como a mãe improvável que gerou Isaque, a esposa de Abraão foi a responsável por dar início às gerações que formariam o povo hebreu, e à linhagem na qual Jesus nasceria séculos depois. Apesar de não ser algo comum de ser dito ou admitido, como já mencionei antes, eu e você, de uma forma ou de outra, também somos filhas de Sara, pois fazemos parte da mesma família que ela.

Em um primeiro momento, uma afirmação como essa, mesmo que seja plausível, talvez nos inquiete de várias maneiras. Não podemos deixar de lado a influência de Abraão nessa história, mas também não devemos nos esquecer do ventre tocado por Deus para que uma nação fosse gerada. Ainda que a nossa tendência seja sempre ressaltar muito mais alguns pontos negativos da postura de Sara, sua função no cumprimento da promessa é essencial à sua maneira.

Gostaria de falar um pouco mais a respeito do nascimento de Isaque e de todas as circunstâncias até que isso fosse possível. Sara tinha pressa. Temendo pela velhice e sabendo que não poderia mais gerar, a esposa de Abraão tomou sua serva, Hagar, e fez com se deitasse com seu esposo. O resultado dessa atitude impensada foi o nascimento de Ismael, um menino nascido a parte da promessa de Deus feita a Abraão, fruto da falta de fé e de esperança de Sara. Mas, sobretudo, Ismael é fruto do sentimento de inadequação de Sara. Observe o que a Bíblia diz:

Capítulo 2 | Mãe de uma nação

> *Ora, Sarai, mulher de Abrão, não lhe dera nenhum filho. Como tinha uma serva egípcia, chamada Hagar, disse a Abrão: "Já que o Senhor me impediu de ter filhos, possua a minha serva; talvez eu possa formar família por meio dela". Abrão atendeu à proposta de Sarai.* (Gênesis 16.1-2)

Muitas vezes, o sentimento de inadequação nos persegue e nos alcança exatamente como fez com a mulher de Abraão. Assim, acreditamos que não somos capazes.

Filhas de Sara precisam ter um bom nível de confiança pessoal, mas nem sempre terão. Por vezes, dúvidas, incertezas e até o desejo intenso por algo ideal nos afligirá. Nessas situações, devemos acolher nossa fragilidade e humanidade, sem nenhuma exigência pessoal, e, em submissão, nos apresentarmos a Cristo. Devemos levar a Ele nossas dores e incertezas, para que, então, sejam vencidas n'Ele, que tudo venceu, antes que nos precipitemos como Sara e colhamos o pior.

Infelizmente, Sara permitiu que o sentimento de inadequação a dominasse, sustentado pela falsa ideia da rejeição divina para o exercício da maternidade. De forma convicta, afirmou que o Senhor a impediu de gerar, mas essa não era a realidade. Aliás, as nossas verdades nem sempre são as verdades de Deus. Ele não estava impedindo a maternidade de Sara; o Pai tinha planos maravilhosos para ela.

Nós, filhas, precisamos abraçar a verdade divina, e tapar os ouvidos para as "falsas verdades". Não somos inadequadas ou rejeitadas para o serviço que fomos chamadas para fazer. Desconfie dos seus sentimentos limitantes, e confie apenas no que Deus já sinalizou sobre o seu ministério. A única voz que devemos ouvir é a d'Ele.

Sara precipitou-se e as consequências disso foram sentidas de maneira profunda em toda a história de Israel, desde os tempos dos patriarcas até a conquista da Terra Prometida e o período de reinado. Os descendentes de Ismael habitaram em Canaã e suas proximidades, e foram uma "pedra no sapato" dos hebreus por séculos, disputando terras e participando de conflitos bélicos.

Ainda que não soubesse tudo o que aconteceria, o erro de Sara repercutiu de forma incalculável.

Capítulo 2 | Mãe de uma nação

Contudo, a bondade do Senhor sempre foi imensa para com ela, que foi perdoada e teve a chance de se redimir ao encaixar-se dentro da vontade de Deus. A mulher, outrora incrédula, apressada e desesperançosa, recebeu em seu ventre aquele que seria o pai de Israel, o homem que deu nome a um povo.

Talvez você não encontre mais sentido ou motivação verdadeira para gerar filhos, nem biológicos, nem espirituais, ou novos projetos e ministérios. Quem sabe o seu comportamento reativo do passado fez com que tomasse decisões sem uma razão lógica ou uma direção do Alto, assim como a esposa de Abraão, e, agora, está lidando com o resultado das suas ações e com o peso da culpa por ter falhado com Deus e com as pessoas ao seu redor. No entanto, a história de Sara nos prova que o Senhor pode todas as coisas, e usa até mesmo quem não se sente mais digno da Sua confiança.

Pense bem: se Deus decidisse culpabilizar aquela mulher pelo resto de sua vida, todos os Seus planos seriam frustrados. Uma nação não nasceria, um povo não se multiplicaria, profetas e reis não seriam levantados, os sinais e prodígios do Senhor seriam esquecidos, nem mesmo a esperança de um salvador seria possível.

Foi a Sua graça e misericórdia que contemplaram a vida de Sara e permitiram que ela gerasse. Eu creio que o mesmo favor que recaiu sobre a história dela também pode contemplá-la de maneira sobrenatural; que o mesmo milagre de outrora, pelo sangue do Cordeiro, pode ressuscitar a sua esperança, realinhar os seus olhos e torná-la uma mãe espiritual para muitos.

NO LUGAR CERTO

Sei que minha insistência nesse assunto pode parecer um pouco exagerada, mas não podemos ser paradas pelas mentiras do Maligno. Ele nos faz acreditar que não somos dignas de ser filhas de Sara ou, sequer, de carregarmos Isaque em nosso ventre, como ela carregou. Mas preste bem atenção: Deus não errou ao escolher você!

Em quase três décadas apascentando mulheres, presenciei diversas situações como essa. Algumas delas eram reversíveis, outras, não. Ministérios ofuscados, apagados, esquecidos, sepultados por motivos insignificantes diante da grandiosa chamada feita por Deus. Fantasmas criados pela mente e alimentados pela ausência da oração e leitura bíblica. Vozes que poderiam anunciar as boas novas foram silenciadas pelas obras do mal. Mas não será assim conosco! Eu declaro isso no poder do Espírito Santo.

Nem toda desistência ou paralisia se dão pela mesma via ou razão. Algumas mulheres pensam que estão roubando o lugar de outra, como se houvesse pessoas melhores ou mais merecedoras da graça de Deus e da Sua benção. Você não é usurpadora de ministérios ou lugares, não é uma obreira oferecida ou impertinente que se impõe entre os homens, não.

Eu afirmo, de todo o coração: o lugar de filha que nós ocupamos não foi usurpado! Esse lugar sempre foi nosso. Não estamos substituindo os homens; eles também estão no plano perfeito de Deus, mas para um exercício exclusivamente deles. Lembro-me das palavras do rei Davi ao seu filho Salomão e me alegro profundamente nessa verdade:

> *E aproximaram-se os dias da morte de Davi; e deu ele ordem a Salomão, seu filho, dizendo: Eu vou pelo caminho de toda a terra; esforça-te, pois, e **sê homem**.* (1 Reis 2.1-2 – grifo nosso)

Para aquele momento, não poderia ser a princesa Tamar. Salomão, um homem, havia sido escolhido por Deus ali.

Ao desfrutar da misericórdia do Senhor, devemos ser livres de qualquer pensamento impositivo que nos condena e nos faz acreditar que não podemos despertar qualquer compaixão no coração de Deus, ou que não temos competência para responder "sim" ao Seu doce e forte chamado. Pare de pensar assim, de uma vez por todas! Você está no lugar certo! A Bíblia nos diz que o Pastor conhece as Suas ovelhas (cf. João 10.14), e Ele a escolheu para fazer parte do Seu rebanho.

Pense, por um momento, na quantidade de órfãos espirituais que existem por aí; pessoas que não se sentem pertencentes a nenhum ambiente ou, ainda, que conhecem a vontade do Senhor, mas preferem ficar omissas diante do Seu chamado. Existe um

Capítulo 2 | Mãe de uma nação

vácuo que precisa ser preenchido por filhas de Sara, por aquelas que compreendem a importância de gerar e ocupam a posição concedida pelo Senhor sem medo de julgamentos ou retaliações do Maligno.

Enquanto uma demanda tão crucial para o avanço do Reino de Deus urge, muitas filhas preferem gastar seus esforços em disputas sem sentido por cargos e reconhecimento. Ao invés de confiarem na promessa do Deus que fez a estéril ter filhos, acreditam na força do próprio braço, sem a consciência de que o único resultado possível para a sua cegueira é o nascimento de Ismael.

Por isso, se você está prostrada, levante-se e assuma o seu papel de filha. Mais do que isso, comprometa-se com o desejo de Deus de levantar mulheres aliançadas com o nascimento e a instrução de uma geração forte, apaixonada pelo Senhor e engajada em Sua obra.

Somos descendentes de uma mulher que não podia gerar, então, creia que veremos nossos próprios úteros espirituais revivendo, para que possamos acolher perdidos e testemunhar a manifestação de um poder restaurador.

Ignorar a influência daqueles com quem escolhemos trilhar nossa história é lutar contra um fato indiscutível. Nós não somos seres individuais, e sim pessoas ligadas ao Plano.

Capítulo 3

A identidade da beleza

E passou Abrão por aquela terra até ao lugar de Siquém, até ao carvalho de Moré; e estavam, então, os cananeus na terra. E apareceu o Senhor a Abrão e disse: À tua semente darei esta terra. E edificou ali um altar ao Senhor, que lhe aparecera. E moveu-se dali para a montanha à banda do oriente de Betel e armou a sua tenda, tendo Betel ao ocidente e Ai ao oriente; e edificou ali um altar ao Senhor e invocou o nome do Senhor. Depois, caminhou Abrão dali, seguindo ainda para a banda do Sul. E havia fome naquela terra; e desceu Abrão ao Egito, para peregrinar ali, porquanto a fome era grande na terra. E aconteceu que, chegando ele para entrar no Egito, disse a Sarai, sua mulher:

> *Ora, **bem sei que és mulher formosa à vista**; e será que, quando os egípcios te virem, dirão: Esta é a sua mulher. E matar-me-ão a mim e a ti te guardarão em vida.* (Gênesis 12.6-12 – grifo nosso)

A beleza é uma das características mais valorizadas **em** e **por** mulheres. Geralmente, é o que muitas buscam aprimorar ao longo da vida, e, para isso, algumas estão dispostas a tudo. Para suprir essa demanda, existe uma indústria gigantesca oferecendo procedimentos estéticos, cosméticos, roupas, calçados, dicas de nutrição e maquiagem, entre tantas outras opções. Contudo, como sabemos, a verdadeira beleza da mulher cristã é o brilho do Espírito Santo, algo que não depende dos padrões estéticos. À medida que nos aproximamos d'Ele, somos transformadas segundo a Sua santidade. Meu coração se aquece ao lembrar das palavras do apóstolo Paulo:

> *Mas todos nós, que com a face descoberta contemplamos, como por meio de um material espelhado, a glória do Senhor, conforme a sua **imagem estamos sendo transformados com glória***

Capítulo 3 | A identidade da beleza

crescente, na mesma imagem que vem do Senhor, que é o Espírito. (2 Coríntios 3.18 – KJA – grifo nosso)

Essa é mais profunda transformação. Somos transformadas com "glória crescente". Não se trata de um tratamento estético de breve duração ou uma coloração capilar para disfarçar os fios brancos. Não é isso! Nossa crescente mudança tem um objetivo final: refletir a imagem do Senhor.

Certamente, você já assistiu algum programa de televisão que prometa transformação. É comum que escolham alguém para levar ao salão de beleza, ao dentista e em uma bela loja para adquirir novas roupas. Ao fim, a pessoa aparece deslumbrante, recebe aplausos e até seus parentes ficam perplexos com a mudança. Sempre que assisto algo assim, pergunto-me como será o dia seguinte... a maquiagem vai terminar, o penteado vai desfazer e quase tudo voltará a ser como antes.

Transformação cristã não é só mudar o visual ou ganhar um novo sorriso; ela acontece como a água transformada em vinho nas bodas de Caná da

Galileia (cf. João 2.1-11). Assim como o líquido incolor, inodoro e insólito ganhou uma nova coloração e um novo sabor, nós somos mudadas.

Infelizmente, a busca pela beleza estética revela uma sociedade divorciada da modéstia e da santificação. Olhando para a História, descobrimos que antes mesmo da vinda de Jesus ou do surgimento desse seguimento específico, a beleza já era altamente estimada, servindo, inclusive, como moeda de troca em casamentos e acordos. Muitas vezes, esse tópico foi o motivo de disputas e desavenças. Talvez você se lembre da história trágica de Romeu e Julieta ou do famoso relato da Guerra de Tróia; todos envolveram, de alguma forma, a beleza e seus desdobramentos.

A Bíblia não foge à regra ao tratar do assunto. No texto de Gênesis 12, lemos sobre um desses casos. Quando a terra onde Abraão habitava passou por um período de fome, ele foi em direção ao Egito para refugiar-se com a família e com todos os que o acompanhavam. Ao chegar na nova região, o patriarca parece ter recebido uma revelação instantânea, e, reconhecendo a beleza de sua esposa e sabendo do poder do Faraó, temeu que o matassem para ficar com a mulher, então, suplicou a ela "Dize, peço-te, que és minha irmã [...]" (Gênesis 12.13).

Eu me questiono o porquê dessa atitude de Abraão. Para além da ameaça de morte, o que significava? O que se passava em sua cabeça? Em minha mente, pergunto-me se ele não havia percebido e valorizado Sara antes. Será que ele andava preocupado demais para perceber? Será que as roupas da mulher chamaram sua atenção de uma forma diferente quando estavam às portas do Egito? São tantas perguntas, mas não podemos afirmar nada com absoluta certeza.

Ainda que não fosse tão nova nem pudesse gerar filhos, a Bíblia descreve Sara como muito bela. Pessoalmente, penso que Abraão se deparou com algo que gosto de chamar de "síndrome da beleza tardia". Em outras palavras, a demora que alguns encontram para atribuir valor às coisas e a pessoas. Infelizmente, o patriarca não passou impune desse problema.

RECONHENDO A SUA IDENTIDADE

Percebo que muitas de nós, por vezes, também nos deixamos ser atingidas por essa síndrome e não valorizamos o que está ao nosso redor. É muito triste quando nos damos conta de que as pessoas que mais deveriam nos valorizar são aquelas que nos desprezam. Pior do que isso, é constatar que toda a nossa autoestima está condicionada às opiniões, aos elogios ou às críticas que recebemos.

Não precisamos de alguém para nos dizer quem realmente somos! Eu não dependo de que meu marido ou de que alguma amiga diga que sou uma boa pregadora, uma esposa exemplar ou que estou bem-arrumada — ainda que escutar tudo isso seja incrível! — para saber que o meu valor excede aos rubis (cf. Provérbios 31.10). Não foram homens ou parentes que afirmaram esses atributos em primeiro lugar, mas o próprio Deus declarou todas essas verdades sobre nós.

> Não precisamos de alguém para nos dizer quem realmente somos!

Como disse, o reconhecimento é necessário e saudável, até mesmo como uma reafirmação daquilo que representamos para os mais chegados, entretanto, não podemos ser escravas dos elogios, como se fossem os balizadores da nossa identidade. Na maioria das vezes, não receberemos sequer um

Capítulo 3 | A identidade da beleza

agradecimento por aquilo que fazemos ou somos, então, devemos estar seguras sobre nosso caráter de filhas de Deus para não nos frustrarmos com expectativas infundadas.

Um dos exemplos mais lindos disso é a postura de Sulamita, a moça amada do livro de Cantares. Todo o conteúdo desse cântico de amor, escrito pelo rei Salomão, está baseado em um longo diálogo entre um noivo e sua amada, em que ambos trocam elogios e dizem, vez após vez, o quanto se amam e desejam estar juntos.

Apesar de compreender e valorizar os floreios de seu amado, a mulher dessa história sabe da sua beleza e não abre mão dessa certeza. Não vemos, em nenhum momento, ela insegura sobre quem é. Contrariamente, a observamos afirmar com segurança e amabilidade: "Eu sou a rosa de Sarom, o lírio dos vales" (Cantares 2.1).

Isso é muito poderoso! Não espere os títulos e elogios para descobrir quem você é; afirme isso para si mesma e para o seu amado — ainda que demore, ele irá descobrir a sua beleza.

Não somos escravas da beleza estética, mas também não somos inimigas dela. Filhas de Sara são belas, despertam a observação do marido e, em cada fase da vida, se recolocam de forma melhor. Você não só pode, como deve, ser generosa consigo mesma! Cuide da sua aparência e do seu bem-estar. E, sobretudo, saiba equilibrar o cuidado com os outros e o autocuidado.

DEUS CUIDA DE VOCÊ

Filhas de Sara são confiantes, equilibradas e fortes, e sempre descansam na convicção da bondade e do favor de Deus. A postura de Sara em sua chegada ao Egito também revela um pouco dessa confiança, ainda que ela não diga nada. Ao perceber o perigo que corriam, Abraão teve a ideia desesperada de dizer que eram irmãos. Não demorou muito para que as coisas não saíssem como o planejado e os boatos sobre a beleza de Sara chegassem aos ouvidos do Faraó.

Capítulo 3 | A identidade da beleza

Quando soube que a mulher que acompanhava o peregrino não era sua esposa, o rei do Egito decidiu levá-la para o seu harém, recompensando Abraão com vários animais e servos. Mesmo diante de tamanho absurdo, não temos a descrição de qualquer reação, seja do patriarca ou da própria Sara. Diante do abandono, não a vemos chorando, gritando ou desesperada, e sim permanecendo confiante de que o socorro viria do Senhor.

Ao longo da sua caminhada — talvez isso até já tenha acontecido —, você conhecerá pessoas sem firmeza de caráter, que são incapazes de reagir diante das injustiças, ou que não são corajosas o suficiente para lutar em seu favor. Apesar do contexto de Gênesis abordar a relação entre um marido e uma esposa, não restrinja essa compreensão apenas aos homens, em específico, pois qualquer um pode nos decepcionar.

No momento em que se deparam com adversários que parecem difíceis demais de serem vencidos, alguns não conseguem encarar o problema de frente e correm para salvar a própria vida, esquecendo-se daqueles que caminharam com eles até então.

Outros são ótimas companhias em festas, sabem desfrutar dos momentos de abundância e fazem de tudo para celebrar sua vida enquanto tudo vai bem, mas estão despreparados para as angústias da vida e decidem desaparecer do nosso convívio assim que as coisas apertam.

No entanto, eu creio que Sara não temia o abandono de Abraão, porque sabia Quem estava no controle daquela viagem desde o princípio. Se ela pensasse apenas no silêncio de seu marido e em sua facilidade para aceitar os presentes de Faraó, ou mesmo na distância de sua terra natal e o perigo de estar em poder de estrangeiros, talvez a matriarca tivesse cedido ao desespero e implorado por ajuda. Graças a Deus, sua esperança não estava em homens falhos e omissos, e sim n'Aquele que pode todas as coisas!

Ainda que todos se calem diante das suas dores; que a traição venha de quem você mais ama; que a sua companhia não seja devidamente valorizada, saiba que Deus vê todas as coisas e é justo. As Escrituras Sagradas nos asseguram de que o Senhor é zeloso e toma qualquer tipo de vingança em nosso lugar (cf. Naum 1.2), pois é o único capaz de exercer a justiça divina de maneira plena e digna.

Por isso, saiba que Deus nunca será conivente com os despeitos que sofremos. Enquanto alguns estão maneando a cabeça em nossa direção e outros parecem insensíveis a nossa dor, os decretos do Alto não podem ser ignorados e são inescapáveis. Se os homens não movem um dedo para que a nossa situação se resolva, podemos descansar, pois o nosso Pai não nos abandona.

Em nossa caminhada, viveremos alianças saudáveis, seremos amadas e respeitadas, mas, inevitavelmente, também conheceremos o abandono e o desamor. Podemos ser traídas, preteridas e até esquecidas, porém jamais vencidas, desde que estejamos nos braços de Quem nos elegeu.

Abraão não se levantou em defesa de Sara, mas Deus não deixaria o pior acontecer. O Senhor feriu a casa de Faraó com grandes pragas e fez com que os captores devolvessem a mulher sã e salva, sendo arrancada das mãos do Egito de maneira milagrosa. Enquanto isso, gosto de imaginar Sara dormindo tranquilamente em meio a todos aqueles desconhecidos do harém, mesmo sabendo que o rei poderia convocá-la a qualquer momento, pois sua confiança na fidelidade do Pai era inabalável.

Levante-se, filha de Sara! Enxugue as lágrimas, você não está só, seja em um harém desconhecido ou na madrugada fria, o Senhor sempre está presente (cf. Mateus 28.20).

A verdadeira beleza da mulher cristã é o brilho do Espírito Santo, algo que não depende dos padrões estéticos. À medida que nos aproximamos d'Ele, somos transformados segundo a Sua santidade.

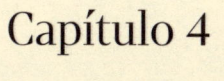

Capítulo 4
Não é tarde demais

E disseram-lhe: Onde está Sara, tua mulher? E ele disse: Ei-la, aí está na tenda. E disse: **Certamente tornarei a ti por este tempo da vida; e eis que Sara, tua mulher, terá um filho**. *E ouviu-o Sara à porta da tenda, que estava atrás dele. E eram Abraão e Sara já velhos e adiantados em idade; já a Sara havia cessado o costume das mulheres. Assim, pois, riu-se Sara consigo, dizendo: Terei ainda deleite depois de haver envelhecido, sendo também o meu senhor já velho?* (Gênesis 18.9--12 – grifo nosso)

Apesar de não saber exatamente o porquê, percebo que o fator "tempo" é extremamente desafiador para muitas pessoas. A sensação de atraso, o medo de ficar para trás, a frustração por não ter horas o suficiente durante o dia ou a percepção de que os anos estão passando rápido demais faz com que alguns percam o sono e se desesperem na tentativa de equilibrar suas agendas e fazer cada instante produtivo. Essa pressão recai sobre cada um de uma forma diferente, mas utilizando, mais uma vez, o exemplo de Sara, imagino como isso pode ser torturante.

Pense em como ela devia se sentir ao ver as décadas avançando. O Senhor supria todas as suas necessidades, não lhe faltava nada! Apesar disso, um sonho específico ainda não havia se realizado. Algumas vezes, precisaremos olhar para as promessas como um estímulo para avançarmos, mas, em outros momentos, teremos que retirá-las do alcance da vista. O centro da nossa vida é Deus, nós existimos n'Ele e por Ele, não pela promessa.

> O centro da nossa vida é Deus, nós existimos n'Ele e por Ele, não pela promessa.

Como mulheres que Deus chamou para um ministério abundante, precisamos ser cuidadosas.

Capítulo 4 | Não é tarde demais

Lugares, posições e pessoas não podem se tornar a nossa motivação principal. Como pregadora, orei para ministrar em alguns lugares, mas confesso que a maturidade me ensinou a organizar melhor minhas prioridades, e, hoje, penso diferente. Devemos nos alegrar pelos lugares que Deus nos permitiu servir.

Às vezes, desejamos ocupar um lugar específico no ministério, entretanto, a posição de filha amada já nos foi dada. O que somos em Cristo é o suficiente. Deus nos deu pessoas, e louvado seja Ele por isso, mas muitas de nós querem caminhar, justamente, ao lado de quem não deseja caminhar conosco; um tipo de idolatria sútil. Tire as pessoas do trono do seu coração, somente Ele deve ocupar esse lugar. Olhe com generosidade para tudo que Deus já fez e se alegre nisso. Na hora certa, as promessas vão se cumprir, pois Quem prometeu é fiel.

Sara havia envelhecido, sua idade já estava avançada, a textura da sua pele não era mais a de antes, o olhar já estava cansado e a beleza jovial parecia adormecida. Ela não conseguia acompanhar o relógio dos outros; a cada dia, a esperança de um milagre ficava mais distante.

Posso dizer que tentar acompanhar o tempo alheio é muito cruel. Nós estamos em momentos diferentes umas das outras. Comparar extensão ministerial, número de ovelhas ou volume de seguidores nas redes sociais pode inclinar o seu coração à inveja. Viva a benção do contentamento. Filhas de Sara sobrevivem ao teste do tempo. Não se preocupe se alguém alcançou algo antes de você, pois existe um tempo determinado para todo propósito (cf. Eclesiastes 3.1).

Sara não sabia o porquê de aquilo estar acontecendo. Possivelmente, isso agravava muito sua crise. Se tivesse uma forma de descobrir como resolver o seu problema de uma vez por todas, com certeza teria feito qualquer coisa. Eu, Helena, pessoalmente, tenho dificuldades com o desconhecido; situações nebulosas me inquietam. Será que todas as mulheres são assim? Você se identifica com isso? O desconhecido é escuro, nunca sabemos onde o próximo passo vai nos levar. Diante disso, caberá a nós duas ações: parar ou confiar.

Sara tem um excelente histórico de confiança, e nós, como filhas espirituais, precisamos seguir esses passos. Ela, ao lado do marido, partiu para uma terra desconhecida, confiando somente na voz de Deus.

Sara também precisou confiar no Senhor quando três homens apareceram sem aviso para visitar Abraão, seu marido, e um deles disse que não demoraria muito para que ela engravidasse. Um comentário tão ousado poderia soar como uma brincadeira, mas a mulher atestou que Deus não havia Se esquecido dela, porque Ele jamais esquece os Seus filhos. Sempre que precisar se lembrar dessa verdade, declare esse versículo:

> *Pode uma mulher esquecer-se tanto do filho que cria, que se não compadeça dele, do filho do seu ventre? Mas, ainda que esta se esquecesse, eu, todavia, me não esquecerei de ti. Eis que, nas palmas das minhas mãos, te tenho gravado; os teus muros estão continuamente perante mim.*
> (Isaías 49.15-16)

A história de Sara me traz à memória o rei Ezequias. O governante foi o sucessor de Acaz e teve um reinado marcado por momentos de extrema dependência do Senhor. Em uma batalha contra Senaqueribe, rei da Assíria, por exemplo, ele clamou a Deus por livramento diante de um cerco mortal à Jerusalém, e foi vitorioso graças a um anjo que derrotou todo o exército inimigo.

No entanto, depois disso, Ezequias passou por uma experiência ainda mais impactante (cf. 2 Reis 20.1-11). O rei foi acometido por uma doença incurável e, à certa altura, recebeu a visita do profeta Isaías, que confirmou que ele não escaparia da morte. Foi então que Ezequias orou ao Senhor, pedindo por misericórdia e para que Ele Se lembrasse da sua fidelidade até ali.

Antes que o profeta fosse embora, Deus mudou a sentença do rei e lhe deu mais quinze anos de vida. Como sinal de que aquela promessa se cumpriria, Ezequias pediu que a sombra do relógio de Acaz retrocedesse dez graus, o que aconteceu de maneira sobrenatural, como se as horas tivessem voltado.

Fazer o tempo acelerar qualquer um consegue — o nome disso é **precipitação**. Algumas pessoas declaram: "Eu chegarei lá, ainda que precise pagar um alto preço! Posso me humilhar, sofrer ou deixar os outros pelo caminho. O que importa, para mim, é chegar antes de todos e vencer!". Contudo, relógios adiantados levam pessoas aceleradas a um único destino: o precipício.

Por isso, reflita por um momento se a pressa, a ansiedade, a sensação de atraso, a desesperança ou a incredulidade fizeram com que você se frustrasse, ou pior, enraizasse o ceticismo em seu coração. Se for necessário, dê alguns passos para trás, reveja a sua postura e os seus discursos, e permita que o relógio de Deus determine o ritmo da sua vida a partir de agora.

> Se for necessário, dê alguns passos para trás, reveja a sua postura e os seus discursos, e permita que o relógio de Deus determine o ritmo da sua vida a partir de agora.

FELIZ DE NOVO

Ainda que algumas coisas tenham demorado para acontecer em sua vida, fazendo com que acreditasse que não haveria mais graça quando acontecessem, a vontade do Senhor é vê-la sorrir novamente. Deus vai renovar as suas perspectivas e fazer algo extraordinário, ainda que tudo aponte para o fracasso. A risada de Sara, que poderia soar apenas como uma manifestação de incredulidade, não impediu que o improvável ocorresse, negando toda lógica aparente, a começar pela idade do casal.

Não preciso dizer o quanto uma gravidez se torna complicada à medida que os anos avançam. A partir de certa idade, torna-se quase impossível. Sara estava ciente dessa condição e, por isso, teve tanta dificuldade de acreditar. Ela teve dúvidas, assim como nós, às vezes, temos. Deus compreende esses momentos e nos acolhe em amor nessas situações. O proverbista declara que "a esperança que se adia faz adoecer o coração, mas o desejo cumprido é árvore de vida" (Provérbios 13.12 – ARA). Persevere para que a espera não a enfraqueça ou adoeça, mas mantenha firme a sua confiança no Senhor.

Em meio ao descrédito, se nossa atitude é de murmuração e questionamento, visualizar o milagre transforma-se em uma tarefa cansativa. Abraão creu. Dê espaço para que a fé do seu cônjuge e das pessoas que caminham com você no ministério seja revelada. Quando assumimos um lugar de perfeição e escondemos nossas dúvidas, acabamos cansados, tentando sustentar uma imagem forte e inabalável. Você é humana, assim como Sara!

Não negue sua humanidade e fragilidade. Ninguém sustenta por muito tempo uma fala pública destoante da vida na tenda. Ainda que a nossa fragilidade se revele, nós não seremos impedidas de ver e viver o cumprimento da promessa. Apoie-se na graça e no amor incondicional de Deus.

Abraão e Sara seguiram suas peregrinações. Enquanto esperavam, também caminhavam, não aguardavam sentados. Durante o percurso, eles passaram perto do território de Abimeleque, rei de Gerar, e Abraão pediu à Sara, assim como no Egito, para que dissesse ser sua irmã (cf. Gênesis 20.2). Novamente, o patriarca colocou-se em uma situação desconfortável por esconder que ela era sua esposa e precisou explicar-se ao rei antes que o cenário se complicasse ainda mais.

O que não podemos ignorar, no entanto, é o fato de dois homens, que não eram jovens, estarem admitindo a beleza de uma mulher idosa. Eu poderia pensar em vários motivos para isso. Estariam equivocados? Algo espiritual reluziu em Sara? Pessoalmente, creio que não. Na verdade, penso que, desde a promessa de Deus, feita naquela última visita, as forças de Sara haviam sido revigoradas e sua beleza havia voltado a resplandecer.

Isso não é impossível! Você ficará maravilhada ao perceber que seu corpo, sua mente e seu coração estão em um processo constante de renovação. A palavra do profeta Isaías ainda ressoa: "Mas os que esperam no Senhor renovarão as suas forças [...]" (Isaías 40.31).

Filha, você está no plano perfeito de Deus. O que não aconteceu, ainda acontecerá. Não me diga que teria sido melhor viver esse ministério na sua adolescência ou juventude. Você cresceu, menina! Aprendeu e amadureceu. Agora, sim, saberá viver em plenitude as maravilhas do Pai.

Deus revitalizará seu corpo, sua alma e o seu espírito para que possa receber a benção prometida. Não importam as circunstâncias — o relógio voltará algumas horas, a chuva dará lugar ao calor, a estéril dará à luz, mas o milagre não será impedido.

Capítulo 4 | Não é tarde demais

Acredite, você ainda vai pregar a palavra de Deus, seu casamento chegará, a viagem aguardada já está com data marcada, os livros guardados na gaveta serão desempoeirados, lábios voltarão a sorrir, as pernas cansadas darão saltos de alegria e, até mesmo, a madre encerrada terá vida novamente.

Pare de temer o tempo que passou, começando por fazer as pazes com a sua idade. Eu, por exemplo, nasci em 14 de junho de 1978. Em 2024, ano de publicação deste livro, completarei quarenta e seis anos. Não tenho motivos para esconder isso, pois sei que Deus tem o relógio da minha vida em Suas mãos e que Ele ainda tem coisas grandiosas reservadas para o meu futuro.

PASSANDO PARA A OUTRA MARGEM: SEU TEMPO É HOJE!

Durante o Seu ministério terreno, Jesus passava muito tempo ensinando às multidões. Em certa ocasião, decidiu pregar de dentro de um barco, próximo à praia, para que todos pudessem vê-lO e ouvi-lO. Depois de um longo dia contando algumas parábolas, Ele disse aos Seus discípulos: "[...] Passemos para a outra margem" (Marcos 4.35).

Contudo, quando Cristo ordenou que atravessassem o mar, já estava anoitecendo. Para alguns, poderia parecer tarde demais. O mar estava agitado e o vento soprava forte. Mas, se pensarmos por alguns momentos, para quem estava "tarde demais"? O conceito de "tarde" sempre é definido por uma série de fatores, o que não significa que Deus precisa segui-los.

Para o narrador da história, inspirado pelo Espírito Santo, neste caso, o evangelista Marcos, talvez não fizesse sentido atravessar naquele momento. Quem sabe, outras pessoas concordassem com ele, como, Pedro, João, Mateus, Judas ou Tomé. Apesar de tudo isso, Jesus foi Quem os havia convidado.

Se qualquer outra pessoa fizesse tal pedido, poderíamos dizer que sua única motivação era encontrar sossego longe das multidões. Uma soneca depois de tantas horas expostos ao Sol, explicando princípios divinos tão reveladores e complexos. Nenhum deles fazia ideia do livramento e da manifestação de poder que testemunhariam logo mais.

Infelizmente, aqueles que tem medo ou estão cansados demais, ou ainda tem receio do desconhecido, da solidão, do abandono, do novo, não terão a chance de testemunhar o que os aguarda do outro lado, no tempo de Deus. A tempestade cessa, os demônios são expulsos e a cura é entregue somente àqueles que decidem obedecer cegamente ao Senhor, ainda que o cenário ao redor pareça improvável.

NÃO TEMA O DESCONHECIDO

> *Como fazia Sara, que obedeceu a Abraão, chamando-lhe senhor, da qual vós vos tornastes filhas,* ***praticando o bem e não temendo perturbação alguma****.* (1 Pedro 3.6 – grifo nosso)

Não temeremos perturbação alguma! Agora mesmo, enquanto lê este livro, declare com os seus lábios: "Eu não temerei perturbação alguma". Mulher, seu coração está em Deus, sua vida é d'Ele e, definitivamente, Ele escolheu você. Como uma filha de Sara, acima de tudo, não tema o desconhecido. Sara saiu de sua terra sem GPS, mas com uma palavra de Deus. Se você tem uma palavra de Deus, tem tudo o que precisa. Caminhe pela fé. Você não tem o controle do futuro, mas o Aba, sim!

Existem pessoas morrendo espiritualmente pelo meio do caminho, em todos os lugares do mundo, porque não conseguem se adequar à geografia de Deus. O medo do incerto, do que não pode ser previsto, leva algumas pessoas à paralização, fazendo-as não tomar qualquer decisão. Não é possível saber o que nos aguarda no novo bairro, na cidade vizinha, na igreja do outro estado ou no emprego em outro país, mas como filha de Sara, não perca tempo: faça as malas, encha o coração de coragem e enfrente o que vier, rejeitando a incredulidade e a desesperança.

Não tema o desconhecido, o sentimento de abandono ou a prova do tempo. Você não está atrasada nem precisa adiantar nada. Nosso Deus é o Senhor do tempo! O mesmo Deus que interveio tantas vezes na vida de Sara diz para nós que não é tarde demais, pois o Seu tempo é hoje! Então, avance para honrar o legado de Sara, confiando no Senhor acima de todas as coisas e conduzindo uma nação para o centro da vontade de Deus.

Capítulo 4 | Não é tarde demais

Siga o exemplo da mulher de Provérbios 31. Assim como Sara, respire fundo e sorria para o futuro (cf. Gênesis 21.6). Sorria!

Meus amados, até breve. A primavera é logo
ali. As minhas lembranças estarão com vocês.
Se a vontade do Pai for que eu vá ao encontro
do Mestre e de seu avô, saibam que estou feliz.
Continuem com os vossos ministérios.
Não olhem para atrás.

– Vó Helena

Existe uma verdade imutável: nós somos filhos de Deus. Sim, eu e você! Você é um filho eterno!

Referências bibliográficas

PALAVRA DE ABERTURA
LEGADO. *In*: DICIONÁRIO Michaelis on-line. São Paulo: Melhoramentos, 2024. Disponível em *https://michaelis.uol.com.br/moderno-portugues/busca/portugues-brasileiro/legado/*. Acesso em janeiro de 2024.

CAPÍTULO 1
FILHA. *In*: DICIONÁRIO Michaelis on-line. São Paulo: Melhoramentos, 2024. Disponível em *https://michaelis.uol.com.br/moderno-portugues/busca/portugues-brasileiro/filha*. Acesso em janeiro de 2024.

CAPÍTULO 2

TEIXEIRA, Carlos Flávio. Os ismaelitas modernos e a escatologia cristã. **Revista Kerygma**, São Paulo, v. 8, n. 2, p. 13-42, 2012. Disponível em: *https://revistas.unasp.edu.br/kerygma/article/view/106*. Acesso em janeiro de 2024.

Este livro foi produzido em Adobe Garamond Pro 11 e impresso
pela BMF Gráfica e Editora sobre papel Pólen Natural 80g
para a Editora Quatro Ventos em fevereiro de 2024.